D1133873

Supermoyen

Susie Morgenstern

Supermoyen

Illustrations de Claude K. Dubois

Mouche
l'école des loisirs
11, rue de Sèvres, Paris 6ᵉ

Du même auteur à *l'école des loisirs*

Collection MOUCHE

L'autographe
Les fées du camping
Le bonheur est coincé dans la tête
Le fiancé de la maîtresse
Halloween Crapaudine
Joker
Un jour mon prince grattera
La liste des fournitures
Même les princesses doivent aller à l'école
Un papa au piquet
Les potins du potager
Sa Majesté la Maîtresse
Tu veux être ma copine ?

© 2011, l'école des loisirs, Paris
Loi n° 49.956 du 16 juillet 1949 sur les publications
destinées à la jeunesse : mars 2011
Dépôt légal : mars 2011
Imprimé en France par l'imprimerie Pollina à Luçon - L56424

ISBN 978-2-211-20432-3

Pour Noam et Emma

Good, better, best
Never let it rest
Until good is better
And better is best !

1

Ce n'était peut-être pas une bonne idée à sa naissance de l'avoir prénommé Alexandre, car maintenant après avoir étudié les exploits de ce grand homme, toute la classe l'appelle Alexandre le Grand.

Or, Alexandre n'est ni grand ni petit. Juste moyen, supermoyen.

Il passerait inaperçu, s'il ne se faisait remarquer par son… absence. Il est, bel et bien présent, mais quand même ailleurs. C'est-à-dire que son corps est assis sur sa chaise, mais sa tête semble s'être envolée. Ou peut-être a-t-il seulement sommeil ? Ou pense-t-il à autre chose ?

Si Alexandre regarde par la fenêtre, ce n'est pas par mauvaise volonté.

C'est que ce qui se passe dans cette classe ne l'intéresse pas trop. Il a toujours l'impression qu'il n'est pas fait pour y être, et que les autres élèves sont nés avec plus de raisons que lui de s'y trouver assis.

Sa maîtresse lui pose une question. Quelle que soit la matière, il répond : «Je ne sais pas», ce qui constitue la réaction type des très moyens.

— Ce n'est pas une réponse, Alexandre ! D'accord, quand on ne sait vraiment pas, mieux vaut l'admettre plutôt que de dire n'importe quoi. Mais tu ne crois pas qu'il faut chercher au moins un peu ? En l'occurrence, la réponse ne se trouve pas plus loin qu'à la page 52 de ton manuel. Démissionner avant de réfléchir, ça je n'accepte pas !

Alexandre est poli et gentil, même s'il semble avoir laissé ce matin son cerveau sous son oreiller avec son pyjama. Il fait semblant de regarder dans son livre, mais… il a oublié la question. Et tandis que la maîtresse la pose à Inès, voilà que la réponse lui saute directement de la page aux yeux. Trop tard !

Il faudrait peut-être faire un peu plus attention.

En gym, Alexandre confond son pied droit et son pied gauche. Son meilleur ami, Hakim, essaie de l'aider à les distinguer, mais peine perdue : ses pieds continuent à faire des nœuds. La gym n'intéresse pas trop Alexandre, en fait. Cela dit, Alexandre n'est pas franchement mauvais en gym. Il est juste moyen, supermoyen.

Ses copains exécutent de vérita-bles ballets de danse avec le ballon

au bout du pied : Alexandre ne comprend pas en quoi cela les amuse. Il
trouve ça débile. Il ne connaît pas
non plus les stars du foot, et ne voit
pas ce que ces types ont d'excitant, à
part qu'ils gagnent des millions.

Quand, par extraordinaire, on lui passe le ballon, il est bien embarrassé.

De toute façon, il n'arriverait pas à faire à la main ce que ses copains font au pied. Il essaie tout de même, il donne un grand coup de pied et le ballon va droit… dans la tête de monsieur le directeur !

À la maison, ce n'est pas mieux. S'il veut aider à débarrasser la table, Alexandre casse la bouteille de jus de pomme ou renverse le sucrier. Et quand ses parents le regardent de travers, il sort son « Je n'ai pas fait exprès ! » toujours en réserve. Il oublie d'arrêter l'eau du bain qui déborde, mais s'en aperçoit toujours avant que l'appartement des voisins du dessous soit inondé : même en bêtises, Alexandre n'est que moyen, supermoyen.

Mais, après tout, ce n'est pas si abominable d'être moyen.

Si on prend une classe de vingt-huit élèves, il y en aura toujours certains en tête et d'autres en queue. Tous les autres sont moyens. La vaste majorité des gens est, somme toute, composée de moyens. Que deviendrait-on sans les moyens ? Il faut des moyens. C'est une nécessité vitale. Les moyens assurent la marche du monde. Ils sont le sel de la Terre. Vive les moyens !

Sauf qu'Alexandre n'est pas vraiment satisfait. Il trouve que c'est quand même assez moyen d'être moyen. Que ce soit à l'école ou à la maison, vis-à-vis de ses parents ou de ses camarades de classe, et de sa maîtresse, il serait soulagé de se situer de temps en temps un peu au-dessus de la moyenne.

Pour aggraver le tout, sa sœur est Miss Merveille-du-monde. Elle est première en classe et première en danse, et belle, par-dessus le marché. Tout ce qu'elle fait est excellent. Elle comprend vite. Ses devoirs sont bouclés en vingt minutes chrono, quand Alexandre peine encore sur l'énoncé de son premier problème de maths.

Il n'y a donc rien de génétique dans la moyenneté d'Alexandre, mais c'est pour lui une mince consolation. Il a déjà vécu huit ans dans cet état de garçon moyen, supermoyen, et la perspective d'y passer le restant de sa vie le chiffonne.

Il s'est résigné, mais pas tout à fait. Sur le chemin de l'école, ce jour-là, marchant à petits pas en traînant son sac, il songe tristement : « Je n'ai qu'une vie ! »

Aussi prend-il une décision : celle de s'appliquer et de progresser. D'essayer de franchir la frontière des moyens, ne serait-ce que d'un millimètre.

Dès le lendemain, il commence par mettre la table du petit déjeuner. Ça ne se passe pas trop mal. Même sa sœur lui fait des compliments.

Mais bof ! La journée à l'école est encore plus morose que d'habitude. Au lieu de sortir un tant soit peu de sa coquille de moyen, Alexandre se révèle plus médiocre que jamais : et ça s'appelle très, très, très moyen.

Il écoute attentivement la leçon de géographie et connaît les réponses, mais la maîtresse ne l'interroge pas. Ensuite, il n'arrive à rien avec son problème de maths au tableau. Cet échec fait résonner en lui l'amer refrain du défaitisme : « C'est nul, c'est pas pour moi, c'est débile, je ne suis pas fait pour ça… »

2

Un jour, levant la tête, il aperçoit la chose.

Il ne sait pas que c'est son parrain qui l'a fait livrer.

C'est énorme, et personne, dans l'immeuble, n'oubliera le jour où la chose est arrivée.

Les livreurs transpiraient à grosses gouttes. Elle ne rentrait pas dans l'ascenseur et ils n'étaient pas contents de devoir la monter à pied sur leur dos jusqu'au quatrième étage.

Ces grands baraqués rouspétaient à chaque palier. En plus, la cage d'escalier est étroite. Et puis, dans une fausse manœuvre, la chose a basculé en écrasant le gros orteil de l'un des costauds. Ils l'ont abandonnée sur les marches pour foncer aux urgences.

La chose est restée là, coincée entre le deuxième et le troisième pendant un jour et demi, condamnant pratiquement le passage. C'est seulement quand le père d'Alexandre a menacé gravement le patron des livreurs, que d'autres athlètes sont venus finir le travail. Une chose est sûre : la chose ne quittera plus l'appartement. Elle pèse trois cent cinquante kilos !

Tout de suite, Alexandre l'a aimée plus que tout. Il aime son noir d'ébène autant que son blanc d'ivoire. Il aime son bois d'acajou. Il aime ses lignes droites strictes. Quand il touche son clavier, c'est comme un bisou au bout des doigts. Il aime ses cinquante-deux touches blanches et ses trente-six noires.

Il aime même la jeune femme qui vient maintenant chaque lundi lui apprendre à se servir de la chose.

Elle s'appelle Hasmig et arrive du Liban. Elle joue elle-même de la chose divinement bien. Elle est très sévère avec Alexandre quand elle exige qu'il déchiffre des morceaux difficiles. Il proteste, pleurniche, renâcle, négocie, mais au bout du compte il apprend le morceau. Plusieurs fois, sa tendance au moindre effort le pousse à renon-

cer, mais tant bien que mal il se cram-
ponne.

Et, petit à petit, il apprend à le
maîtriser, son piano. Il en joue de tout
son corps et de tout son cœur.

Maintenant, à l'école, quand la
maîtresse lui pose une question,
Alexandre a compris qu'il lui faut
s'efforcer de comprendre ce qu'elle
lui demande et fouiller dans sa tête.
Il fait ce sacré effort de réflexion et

donne une réponse, même si ce n'est pas la bonne. La maîtresse lui a dit que ce n'est pas grave de se tromper, qu'un bébé tombe souvent avant de savoir marcher. Doucement mais sûrement, Alexandre avance vers la tête des moyens.

Et plus il avance vers elle, moins il a d'indulgence envers la queue des moyens.

Il commence à admirer les bons élèves : leur excellence l'attire.

3

La maîtresse a demandé d'apprendre un poème au choix. Inès, la meilleure de la classe, a choisi un poème de Paul Éluard. Alexandre comprend, à chaque vers qu'elle récite, qu'il est amoureux de cette fille pour la vie. Elle articule en mettant beaucoup de cœur dans sa diction pour faire sentir ce qu'il y a derrière les mots. Malheureusement son regard, tandis qu'elle récite, ne se dirige jamais vers Alexandre.

Elle ne semble même pas s'aper-cevoir qu'il existe.

Kévin, lui, massacre son poème. Comment peut-on être aussi nul ?

Alexandre est le dernier à passer. Au lieu de donner le nom du poète, comme l'a fait tout le monde, il dit : «Anonyme.» Il ne veut pas qu'on sache que, par flemme de faire des recherches, il a composé son propre poème :

Le piano

Le piano a un secret
Caché dans son bois
Et il est tellement discret
Qu'il ne le dit qu'à moi.

Il parle sur son propre mode
De do, ré, mi, fa, sol
Il dit tout selon son code
Des dièses et des bémols.

Pour l'éveiller mes doigts vadrouillent
Lentement ou en vitesse
Je lui fais de menues chatouilles
Ou bien de grandes caresses.

La maîtresse hausse les sourcils, étonnée de la performance de cet élève moyen.

Même Inès daigne enfin jeter un regard sur Alexandre.

4

À part sa famille, personne ne sait qu'Alexandre joue du piano. Hasmig dit qu'il a fait tant de progrès en si peu de temps, que l'on croirait qu'il joue depuis des années.

La classe finie, Alexandre a hâte de rentrer « parler » à son piano. Il a hâte, mais il marche toujours aussi lentement, les yeux baissés. C'est pourquoi il ne voit pas que deux grands se sont mis en travers de son chemin. Ils barrent le trottoir.

Alexandre ne peut plus avancer. Comme il est bien élevé, il leur dit poliment bonjour. Peut-être veulent-ils simplement lui demander un renseignement ou lui vendre quelque chose. Il a toujours deux euros sur lui.

— Passe-nous ton cartable et tout ce que tu as dans tes poches !

Alexandre se souvient que sa grand-mère lui a dit un jour qu'il est inutile de discuter avec le grand méchant loup. Il commence à fouiller dans son manteau, quand les deux grands sont violemment bousculés par-derrière. Surpris, ils déguerpissent. Alexandre se retrouve nez à nez avec Kévin.

— Tu m'as sauvé la vie, dit-il.

— Pas la vie, juste ton cartable.

— Merci quand même. Ils auraient pu te taper dessus et te prendre ton sac, à toi aussi. Merci. Merci beaucoup.

— De rien, dit Kévin embarrassé.

— Veux-tu venir goûter chez moi ?

Kévin n'est pas pressé, il a la clef de chez lui suspendue à son cou.

— Bien sûr, c'est mieux que d'aller m'enfermer tout seul chez moi. D'ailleurs, on peut rentrer ensemble tous les jours, si tu veux.

— Bonne idée, dit Alexandre.

Il ne tenait pas spécialement à être l'ami de Kévin, qui se situe tout en bas de l'échelle des moyens. Mais la preuve est faite qu'on peut être moyen, supermoyen, et plutôt courageux et utile.

À la maison, Alexandre offre des gâteaux à Kévin. En prime, il lui joue son morceau de piano.

Kévin essaie de jouer à son tour mais ne produit que du bruit.

— Comment on fait marcher ce truc ?

— Il faut s'exercer tous les jours, annonce Alexandre, sérieux comme un pape. Il faut apprendre. Il faut travailler.

— Ah, fait Kévin.

— Je peux te montrer un truc, si tu veux, dit Alexandre.

Il apprend à Kévin un morceau facile pour quatre mains, et Kévin est aux anges, content d'apprivoiser ce nouvel engin.

— On pourrait faire nos devoirs ensemble, propose Alexandre. Je te lirai une dictée, et puis ce sera à toi de m'en lire une.

— D'accord, dit Kevin à contre-cœur.

Alexandre fait rire Kévin en déclamant un texte débile à tue-tête et en y mettant le ton d'un tragédien. Kévin ne commet que deux fautes. Alexandre, quand c'est son tour, zéro. C'est un grand jour. Mais allez savoir ce qu'ils feront au moment de la vraie dictée.

Ils finissent leurs devoirs avant d'aller jouer dans la chambre d'Alexandre. Kévin assemble, les doigts dans le nez, une moto Lego très compliquée. Alexandre en déduit que Kévin n'est pas si moyen que ça, ou en tout cas pas pour tout.

5

Hasmig est si contente des perfor-
mances pianistiques d'Alexandre
qu'elle l'encourage à s'inscrire à des
cours de solfège.

Pour Alexandre, ça veut dire qu'au
lieu de jouer avec Kévin ou Thomas,
il doit se trimballer jusqu'au Conservatoire, et qu'après sa journée d'école
il lui faut à nouveau s'enfermer dans
une classe.

Mais, quand on a huit ans, les
parents, les professeurs, les grands en

général, ont sur vous un pouvoir absolu.

Ils vous disent « va ! » et vous allez.

S'il aime le piano, Alexandre ne raffole pas du solfège. Mais quelle n'est pas sa récompense ? Inès est inscrite dans le même cours que lui ! Tout naturellement ils décident de faire le chemin ensemble, aller et retour. Inès est malheureuse, parce qu'elle ne comprend rien au solfège. Alexandre l'aide avec les rythmes. Eh oui ! Lui, Alexandre, le Moyen congénital, aide Inès, la reine des Meilleurs !

En arrivant chez lui, il trouve sa mère dans l'escalier qui rentre du marché, munie de ses grands cabas. Il en prend un pour la soulager.

— Pas la peine, Alexandre ! Ça va très bien.

Il sent qu'elle a peur qu'il fasse tomber le sac. Elle n'a pas confiance en lui. Mais il est déterminé.

— T'en fais pas, Maman. Je fais attention.

Quand les sacs sont arrivés en haut, sa mère semble étonnée.

— Deviendrais-tu adroit, mon bonhomme ?

6

La maîtresse aujourd'hui demande :
— Quelle est votre matière préfé-
rée à l'école ?

Alexandre réfléchit.

La seule réponse qui lui vient
concerne la matière que, précisément,
il déteste le plus : TOUTES les matières !

La maîtresse demande alors à cha-
cun, à tour de rôle :
— Parle-moi de ce que tu aimes le
plus faire dans la vie.

Pour Kévin, pas d'hésitation : manger. Il raconte le meilleur repas de sa
vie.

Inès, elle, aime lire. Elle donne la
liste des dix derniers livres qu'elle a
lus. Bravo.

Thomas aime dormir. Il parle de
son lit, de sa couette et de ses oreillers.
Beaucoup d'oreillers.

Antoine adore repasser les mou-
choirs et les plier. Tous les goûts sont
dans la nature.

Louise aime rire. On la comprend.

Quentin, le pauvre, aime le foot.
Alexandre pense que ce serait moins
banal et moyen de sa part s'il était une
fille : les trois quarts des garçons de la
classe aiment le foot.

La maîtresse est toute neuve. C'est son premier poste. Il lui vient une idée par seconde. Elle prolonge donc sa question par un devoir d'expression écrite à faire à la maison. Sujet : « Si tu pouvais rencontrer une fée, quel pouvoir, quel don, lui demanderais-tu de t'accorder ? »

La première chose qui vient à l'esprit d'Alexandre, c'est l'excellence. Il aimerait s'envoler par-dessus les moyens pour s'en aller atterrir chez les meilleurs, juste à côté d'Inès. Mais réflexion faite, ce n'est pas réaliste. Alexandre ne croit pas à la magie.

Après, il pense qu'il voudrait pouvoir jouer du Chopin, du Rachmaninov, du Brahms. Sa mère lui a acheté des CD de ces compositeurs, interprétés par de grands pianistes. Mais, là aussi, il sait qu'il est encore loin du niveau de ces concertistes internationaux et qu'il lui faudra beaucoup de travail avant d'y parvenir.

En sortant de l'école, il demande à Thomas :

— Tu demandes quoi, toi, comme don ?

— La compréhension.

— C'est quoi ?

— L'intelligence, si tu préfères. Le don de comprendre pourquoi les gens font tant de bêtises.

— Quelles gens ?

— Mes frères. Mes parents.

Alexandre aimerait comprendre, lui aussi, mais surtout les problèmes de maths. Ça le fait souffrir de se trouver toujours comme devant des hiéroglyphes.

Peut-être que, pour comprendre les gens, les choses et la vie, il suffit de vivre longtemps. Alexandre, pour sa part, les comprend bien mieux maintenant qu'à la maternelle. Et ses progrès devraient s'accentuer au collège, puis au lycée, et ainsi de suite. Il a toute sa vie devant lui pour gagner en clairvoyance psychologique.

– La compréhension va te venir avec l'âge, dit-il pour encourager Thomas.

Hakim, quant à lui, ne sait pas quoi demander. Alors il choisit ce qui lui semble le plus astucieux et le plus rentable : la santé.

— C'est aussi un peu magique, dit Alexandre, parce que si tu tombes malade, il faut une véritable bonne fée de conte de fées pour te guérir.

— Oui, mais le mieux est de ne pas tomber malade. Pour ça on peut faire attention à manger sainement et à garder la forme.

— Ça ne marche pas toujours. Mon cousin a eu une leucémie alors qu'il mangeait bio.

— Je vais quand même choisir la santé. Je ne sais pas quoi demander d'autre. Et toi ?

— Aucune idée.

Kévin, de son côté, a fait une liste de tout ce qu'il veut demander à la fée : des jeux, un téléphone mobile et beaucoup de cadeaux.

– Je pense que la maîtresse veut qu'on choisisse une seule chose, objecte Alexandre.

– Eh bien moi, je choisis l'ensemble de toutes.

– Tu demanderais quoi, toi, comme don ?

Il a posé la question à Inès, en marchant vers le Conservatoire. Elle répond :

— Le don de me faire aimer.

— Tu l'as déjà. Tout le monde t'aime. Tu es la meilleure.

— Il y en a pas mal qui me détestent dans la classe. Ils me traitent de chouchoute et me regardent de travers.

— Des jaloux.

— Oui, mais ce n'est pas de ma faute.

— Tu n'as qu'à en faire moins, et moins bien. Force-toi un peu, tu devrais y arriver. Quand on est nul, on peut rarement faire mieux, mais quand on est bon, on peut faire semblant d'être nul.

– Je n'ai pas envie de tricher.

Alexandre ne voit pas comment venir en aide à Inès. Et plus il réfléchit, plus il arrive à la conclusion que se faire aimer demande aussi du travail : il faut rendre des services, sourire, faire rire, être sympa. Peut-on être aimé juste comme ça, pour rien ?

À table, Alexandre interroge sa famille.

— Moi, le bac, dit sa sœur.

— Tu l'auras, le bac. Aucun problème si tu continues comme ça.

— Pour moi, ce sera une bonne nuit de dodo, annonce le père d'Alexandre.

Il est insomniaque.

— Et pour moi, le bonheur, annonce sa mère.

— Le bonheur ? Mais tu nagcs dedans ! Tu répètes tout le temps que tu as un bon mari, de beaux enfants, un bon boulot et une jolie maison.

— J'aimerais que tout ça me soit donné. Ne pas avoir à le gagner. Le travail gâche le plaisir !

Alexandre constate que revient toujours ce maudit mot : le travail. Il faut travailler pour TOUT, même pour le bonheur.

Il commence à avoir une petite idée de ce qu'il va pouvoir demander à la fée.

Il l'écrit et range la feuille dans son sac.

7

Les enfants sont contents de remettre leur devoir à la maîtresse, telle une lettre qu'ils enverraient au bon vieux père Noël. Ils ont l'impression qu'elle va exaucer leurs vœux.

Avant même de leur rendre ce devoir-là, la maîtresse leur en donne un autre : «Winston Churchill a dit : "Pour s'améliorer, il faut changer. Donc, pour être parfait, il faut avoir changé souvent." Qu'est-ce que vous aimeriez changer en vous ?»

Alexandre est d'avis qu'elle pose, au fond, toujours un peu la même question.

Et le lendemain, encore une autre : « Que désirez-vous le plus ardemment dans la vie ? La richesse, le savoir, la célébrité, l'admiration de votre entourage, l'amitié, l'amour, être à la mode, contribuer au bien-être de l'humanité, trouver une passion, nettoyer la planète ? »

La tête moyenne d'Alexandre explose dans ce flot de questions capitales. Avant − l'année dernière, par exemple −, il n'avait pas grand-chose dans cette tête.

Et maintenant, voilà qu'un flot de questions l'inonde.

À la maison, tout ce que sa sœur

trouve à dire pour lui venir en aide est :

— Elle est folle, ta maîtresse !

Son père déclare :

— C'est une psy ou une prof, celle-là ?

Réduit à sa propre inspiration, Alexandre ne sait que choisir. Richesse ? Bof !… Il a tout ce qu'il veut. Savoir ? Mouais… Célébrité ? Certainement pas… Admiration de l'entourage ?… De la part de sa famille, de la maîtresse, d'Inès, c'est impossible… L'amitié ? Il est déjà servi… L'amour ? Un peu facile… La mode ? Pourquoi pas… Contribuer au bien-être de l'humanité et nettoyer la planète ? Rude programme… Trouver une passion ? Il a déjà le piano…

Décidément, il ne lui vient aucune idée majeure.

Alors il écrit : « Je veux tout ce que la vie peut m'offrir. » Et il remplit la page de variations sur ce thème.

8

Quelques semaines après cette crise
aiguë de devoirs bizarres, la maîtresse,
toute guillerette, arrive en classe avec
les devoirs corrigés.

– Vous avez tous demandé des dons intéressants, mais cette fois, c'est Alexandre qui a fait le meilleur devoir, à mon avis. Il va venir vous le lire.

C'est la première fois qu'Alexandre a cet honneur : être prié de lire à haute voix devant la classe, et redécouvrir en public ce qu'il a bien pu écrire.

Il se campe, majestueux comme un empereur de Chine, et commence :

« Je ne savais pas quoi choisir. Je voulais donc dire "impossible de savoir", mais je sais que la maîtresse refuse cette réponse, et qu'elle a raison de le faire. Alors je me suis creusé la tête.

C'est embêtant de réfléchir. On est forcé de penser, au lieu de regarder la télé tranquille. J'ai passé un bon bout de temps à cogiter, même une partie de la nuit.

Et puis j'ai pensé au cadeau qu'on m'a fait. Mon parrain m'a offert un piano.

n piano, si on ne le touche pas, si on ne titille pas, si on ne le provoque pas, si on le laisse en paix à dormir dans son coin, ce n'est rien d'autre qu'un meuble. Et tout à coup, le mot "curiosité" m'est venu à l'esprit.

C'est le piano qui me l'a soufflé. Et c'est le don que je demanderais à ma bonne fée. Le piano, c'est comme la vie. Il faut s'y intéresser, en être curieux, pour en tirer profit.

La curiosité était un sentiment qui n'existait pas pour moi avant de rencontrer mon piano.

C'est quoi, la curiosité ? Prenons un livre. C'est un bloc de papier tartiné de signes, de mots et de phrases qui restent lettres mortes si on ne l'ouvre pas pour le lire, si on n'a pas la curiosité de mettre le nez dedans pour savoir ce qu'il y a sous sa couverture et derrière son titre, et le faire vivre. Si on ne lit pas les livres, c'est comme s'ils n'existaient pas ! Je ne dis pas que j'aime lire. Mais peut-être y aurait-il un livre qui m'intéresserait si je le lisais.

C'est pareil avec les gens. Ils sont là et on ne les connaît pas. Qui sont-ils ? Si on veut le comprendre, si on a cette curiosité-là, il faut les lire, c'est-à-dire parler avec eux. Je suis sûr que chaque copain est un être étonnant si on prend la peine d'extraire le secret qui se cache dans sa tête.

Devant tout ce qui compose le monde, qui nous entoure, on peut se poser la question : " Comment ça marche ? " et s'efforcer en permanence de chercher le "pourquoi" de chaque chose, comme quand on avait trois ans. Il ne faut pas avoir peur de la nouveauté ni d'explorer, de découvrir, de se laisser aller à l'émerveillement, à l'admiration, et, pourquoi pas, pendant qu'on y est, à quelque chose qui me manque terriblement : l'imagination !

Alors je pensais que le meilleur don à demander à la fée serait le pouvoir de creuser, d'observer, de me faufiler derrière les apparences. Si on n'arrête jamais de le faire, on peut tout réussir, même un devoir d'expression écrite. »

Inès, avec son désir de se faire aimer, est l'autre élève qui lit son devoir devant tout le monde.

9

La maîtresse, Inès, et toute la classe, regardent maintenant Alexandre d'un autre œil : c'est comme s'il avait grandi dans leur estime.

À ce train-là, si vraiment la bonne fée se présente à lui dans sa robe de fée et veut lui accorder le don de mettre en œuvre sa curiosité, il ne tardera plus à mériter le surnom d'Alexandre le Grand. Et qui sait s'il ne finira par éclipser l'autre, le célèbre conquérant ?